NUNCA DEIXE DE TENTAR

NUNCA DEIXE DE TENTAR

MICHAEL JORDAN

APRESENTAÇÃO E COMENTÁRIOS DE
BERNARDINHO

SEXTANTE

Publicado em acordo com Harper San Francisco, um selo da Harper Collins Publishers.

tradução: Claudio Figueiredo

preparo de originais: Virginie Leite

edição: Mark Vancil

revisão: Sérgio Bellinello Soares, Sheila Til e Tereza da Rocha

projeto gráfico e diagramação: Valéria Teixeira

capa: Marcelo Pereira / Tecnopop

impressão e acabamento: Bartira Gráfica e Editora S/A.

CIP-BRASIL. CATALOGAÇÃO-NA-FONTE
SINDICATO NACIONAL DOS EDITORES DE LIVROS, RJ

J69n Jordan, Michael, 1963-
Nunca deixe de tentar / Michael Jordan; apresentação e comentários de Bernardinho [tradução de Claudio Figueiredo]. – Rio de Janeiro: Sextante, 2009.

Tradução de: I can't accept not trying

ISBN 978-85-7542-461-2

1. Jordan, Michael, 1963-. 2. Sucesso. 3. Auto-realização (Psicologia). 4. Motivação (Psicologia). I. Bernardinho, 1959-. II. Título.

CDD 158.1
09-0545 CDU 159.947

GMT Editores Ltda.
Rua Voluntários da Pátria, 45 – Gr. 1.404 – Botafogo
22270-000 – Rio de Janeiro – RJ
Tel.: (21) 2538-4100 – Fax: (21) 2286-9244
E-mail: atendimento@esextante.com.br
www.sextante.com.br

Dedico este livro aos meus amigos mais próximos e à minha família, pela inspiração e apoio que me proporcionaram. E aos meus pais, pelo amor e pela orientação que me ofereceram ao longo de toda a minha vida. Eles são a minha verdadeira fonte de inspiração.

Michael Jordan

NA VIDA COMO NO ESPORTE

Este livro abre a coleção Na Vida Como no Esporte, que tem como objetivo revelar os princípios e valores nos quais grandes atletas e treinadores pautaram suas trajetórias.

São lições simples e diretas daqueles que lideraram suas equipes nas batalhas esportivas e nos momentos de decisão ou tiveram atuações importantes mesmo como meros participantes, sendo considerados heróis e muitas vezes – por que não? – até mesmo vilões.

A maneira como valorizam o processo de preparação, a importância que dão ao verdadeiro espírito de equipe, o modo como lidam com a derrota e resistem às armadilhas do sucesso e, principalmente, a determinação permanente, sua principal virtude, são fundamentais para aqueles que desejam encontrar o caminho do sucesso.

Esses grandes personagens tiveram a coragem de fazer a coisa certa, não visaram à sua conveniência nem cederam às mínimas transgressões. Entenderam que a coragem não é a ausência do medo e que as dificuldades podem ser usadas como fonte de motivação e percebidas como oportunidades.

A coleção trará nomes como Michael Jordan, John Wooden, Vince Lombardi e muitos outros – personalidades bastante diferentes, de várias modalidades de esporte, que vão nos guiar por viagens emocionantes.

Suas experiências, no entanto, transcendem o mundo esportivo – e acredito que sejam úteis em diversas áreas da vida profissional e pessoal.

SUMÁRIO

APRESENTAÇÃO

O primeiro contato que tive com este livro foi em 1994, ano de minha estréia como treinador da seleção brasileira feminina de voleibol. A forma simples e direta como Michael Jordan aborda os princípios básicos de sua atividade – o esporte – e analisa sua trajetória em *Nunca deixe de tentar* me levou a fazer uma tradução "caseira" para que minhas jogadoras pudessem ter acesso às idéias desse grande atleta.

Soube que posteriormente muitas delas repassaram o texto a outros treinadores e companheiras, validando ainda mais as idéias e os conceitos apresentados no livro.

Sempre admirei Michael Jordan por seu talento, tenacidade, coragem e entrega na busca de seus objetivos. E a partir de uma coletânea de livros e vídeos sobre sua trajetória, tentei compreender os pilares sobre os quais ele construiu o seu sucesso.

Certamente seu exemplo rompeu os limites do esporte, e os conceitos aqui descritos são úteis para a reflexão de qualquer profissional acuado pela pressão permanente por resultados, em um mundo cada vez mais competitivo.

Agora, convidado pela Editora Sextante, minha intenção é contextualizar algumas questões, fazendo assim uma leitura comentada do livro. Destaquei os trechos que considerei mais relevantes e, ao final de cada capítulo, apresento minhas observações no boxe Ponto a ponto.

Muito foi dito e escrito sobre esse campeão e ícone da história do esporte mundial, mas há alguns depoimentos que, acredito, ilustram bem esse grande personagem.

O treinador Mike Krzyzewski, conhecido como Coach K, atual técnico da seleção norte-americana de basquetebol (medalha de ouro nas Olimpíadas de Pequim) e da equipe da Universidade de Duke, aborda em seu livro *Beyond Basketball* (Além do basquetebol) os valores essenciais do esporte e da vida. Ao tratar do tema RESPEITO, ele cita Michael Jordan em uma breve e significativa passagem.

Era o ano de 1992 e o Dream Team norte-americano, que ganharia a medalha de ouro nas Olimpíadas de Barcelona, estava se preparando para a competição. Ao fim de um treinamento, Jordan se dirige ao Coach K, que fazia parte da comissão técnica, e pede: "Treinador, o senhor poderia me ajudar em uns exercícios extras de arremesso?"

Coach K não apenas concordou como ficou animado com a idéia de interagir com o supercampeão. Ao terminar os exercícios, Michael Jordan vira-se para o treinador e diz: "Muito obrigado, Coach." Uma passagem bastante simples que retrata a educação e o respeito que o ídolo internacional dispensava a todos com quem se relacionava. Coach K observa que Michael tratava todo mundo, independentemente da posição ou cargo ocupado, com o mesmo respeito.

O grande escritor Gabriel García Márquez escreveu: "Aprendi que um homem só tem o direito de olhar outro de cima para baixo quando o está ajudando a se levantar."

Outro depoimento foi dado pelo treinador Doug Collins, que trabalhou com Michael Jordan no Chicago Bulls no início de sua carreira e fala de sua capacidade de liderança, sua permanente motivação e seu exercício de superação. Ao ser questionado sobre a dificuldade de trabalhar com um atleta do quilate de Michael Jordan, ele respondeu: "É muito simples. Ele me auxilia bastante, pois sempre chega para cada treinamento disposto a desafiar seus limites, dando 100%. O difícil é entender como alguém com um talento menor do que o dele poderia se dedicar menos do que ele." Isso é a liderança pelo exemplo, a busca permanente da evolução e a consciência do valor do aprimoramento contínuo.

Uma outra situação que me remete a Michael Jordan ocorreu no Campeonato Mundial de Voleibol Feminino de 1994, quando eu dirigia a seleção brasileira e enfrentávamos a equipe russa na semifinal. Depois de vencer o primeiro set, sofremos uma virada, perdendo o segundo e o terceiro sets. No quarto, nos encontrávamos em desvantagem de 0 x 5 no placar. Confesso que a pressão e a tensão me levavam a querer resolver tudo, modificar todas as estratégias e bombardear as jogadoras com informações. No entanto, comecei a perceber que nada funcionava e a confusão e a insegurança só aumentavam. Foi nesse momento de apreensão e desespero que recorri a uma máxima de Michael Jordan que se aplica muito bem a situações como essa: "*Return to basics*" – ou seja, foque na execução precisa dos fundamentos, um de cada vez, como se fossem metas de curto prazo para atingir o objetivo final. Focando no fundamento do bloqueio, iniciamos um processo de recomposição da equipe. Fundamento após fundamento, o jogo foi se encaixando e conseguimos virar a partida, vencendo por 3 x 2, o que nos credenciou para a final do campeonato.

Recentemente, ouvi Fabio Barbosa – na ocasião, presidente do banco ABN Real – fazer referência a Michael Jordan e à sua atitude de "manter o foco na bola". Alvo da disputa de grandes grupos financeiros internacionais, o ABN vinha passando por negociações desgastantes em meio a um longo processo de venda, o que costuma gerar insegurança e tensão entre os funcionários. Apesar do momento aparentemente difícil que atravessava, em 2007, o banco foi o primeiro colocado, em sua área de atuação, no ranking do Guia Você S/A – Exame das melhores empresas para se trabalhar. Além disso, ganhou o prêmio Desafio RH do ano, por ser a instituição com a mais consistente gestão de pessoas em um ambiente complexo e com o maior índice de felicidade no trabalho. Num encontro com diretores e gerentes, Fabio agradeceu a dedicação de todos e ofereceu o prêmio à equipe, por ter feito aquilo que lhe cabia fazer num momento de tormenta: “manter o foco na bola”, obtendo resultados excelentes apesar das dúvidas e dificuldades.

Esta é a principal característica dos grandes campeões: saber lidar com as adversidades, mantendo a determinação na busca dos objetivos, sem recorrer a álibis e com o espírito fortalecido e motivado para ultrapassar os obstáculos. É isso, certamente, o que Michael Jordan representa.

BERNARDINHO

METAS

BULLS

Um passo de

cada vez.

Não consigo

imaginar

nenhuma outra

maneira de

realizar algo.

Meu principal objetivo sempre foi me tornar o melhor, mas, ao me aproximar de cada meta, fazia isso passo a passo. Foi por essa razão que não tive medo de ir para a Universidade da Carolina do Norte (uma instituição de enorme tradição no basquete norte-americano) depois de concluir o ensino médio.

Muitos diziam que aquela não era a melhor escolha porque eu não seria capaz de jogar em um nível tão elevado. Sugeriam que eu optasse pela Academia da Força Aérea, porque assim teria um emprego ao terminar a faculdade. Cada um traçava um plano diferente para mim. Mas eu tinha as minhas próprias convicções.

Sempre procurei **fixar metas de curto prazo**. Ao olhar para trás, pude ver como cada um daqueles passos ou conquistas me levou à etapa seguinte. Quando, no segundo ano do colégio, fui cortado do time principal, aprendi algo muito importante. Compreendi que nunca mais queria me sentir tão mal. Nunca mais queria experimentar aquele gosto amargo na boca, aquele buraco no estômago.

Então estabeleci como objetivo conquistar um lugar de titular no time principal. E mantive o foco nisso durante todo o verão. Enquanto me exercitava e aprimorava meu jogo, era só nisso que eu pensava. Quando consegui, tracei outra meta razoável e realista que poderia alcançar se trabalhasse duro o suficiente.

A todo instante eu procurava visualizar aonde queria chegar, que tipo de jogador queria me tornar.

Encarava tudo com o meu objetivo em mente. **Sabia exatamente aonde queria chegar e mantinha o FOCO naquela direção.** À medida que alcançava as minhas metas, os resultados iam se somando. E eu ganhava confiança a cada conquista.

Desse modo, construí a convicção de que poderia competir pela Universidade da Carolina do Norte. Para mim, era um trabalho puramente mental. Nunca precisei escrever nada. Apenas me concentrava no próximo passo.

Acho que eu poderia ter aplicado esse método a qualquer coisa que tivesse escolhido fazer. Não é muito diferente de alguém que deseja se tornar médico. Se esse é o seu objetivo, mas você só tira nota 5 em Biologia, a primeira coisa que deve fazer é tirar 7 para, então, tirar 10. É preciso se aperfeiçoar e superar esse primeiro obstáculo antes de enfrentar matérias como Química ou Física.

Dê pequenos passos. Senão estará correndo o risco de sofrer todo tipo de frustração. De que modo você iria adquirir confiança se a única medida do seu sucesso fosse se tornar médico? Se você se esforçasse ao máximo e não conseguisse, isso significaria que toda a sua vida é um fracasso? É claro que não.

Todas essas etapas são como peças de um quebra-cabeça. Juntas elas formam uma imagem. Quando a imagem está completa, a meta foi atingida. Se isso não acontecer, não é razão para ficar deprimido.

Se você fez o melhor que pôde, terá conquistado algo ao longo do caminho. Poucos conseguem formar a imagem completa. Nem todos chegam a ser o melhor vendedor ou o melhor jogador de basquete. Mas ainda assim você pode ser considerado um dos melhores e, portanto, um sucesso.

É por essa razão que sempre fixei metas de curto prazo. Seja no golfe, no basquete, nos negócios, na vida familiar ou até mesmo no beisebol, estabeleço metas realistas e mantenho o foco nelas. Faço perguntas, leio, ouço.

Não tenho receio de perguntar quando não sei algo. Por que deveria? Estou tentando chegar a algum lugar. Ajude-me, me dê uma orientação – não há nada de errado nisso.

Um passo de cada vez. Não consigo imaginar nenhuma outra maneira de realizar algo.

PONTO A PONTO

- Quando fala em se tornar o melhor, Michael Jordan trata da busca pela excelência. Devemos seguir seu exemplo ao tentar desenvolver plenamente nosso potencial, evitando nos comparar aos outros.

- É fundamental fixar metas de curto prazo para que possamos avaliar, passo a passo, o nosso desempenho e verificar se o nosso caminho se mantém alinhado ao objetivo final.

- Ao relatar seu corte da equipe, Jordan mostra como usar a derrota como fonte de motivação, passando a se dedicar de forma ainda mais intensa à preparação, na busca da realização de seu sonho. Derrotas podem ser encaradas como lições de sabedoria. Para isso, devemos assumir nossas responsabilidades, sem atribuir culpas a terceiros. Precisamos investigar as verdadeiras causas da derrota para que possamos aprender com nossos erros e corrigir nossas estratégias futuras.

- Se há uma característica comum aos grandes campeões em qualquer área de atividade, é a habilidade de manter o foco. Há algum tempo li um artigo na revista *Fortune*, intitulado “What It Takes to Be Great”, em que pesquisadores ingleses revelam as virtudes que caracterizam as pessoas excepcionais: determinação e foco. Eles chegaram à conclusão de que o verdadeiro talento está na capacidade de trabalhar duro na busca de um objetivo preciso.

- É importante determinar metas factíveis para não gerar frustrações. Numa palestra para os funcionários de uma grande empresa, comentei que, ao assumir o comando da seleção feminina, em 1993, estabeleci como objetivo chegar ao pódio – ou seja, ser um dos três primeiros colocados – em todas as competições de que participássemos. Embora ambiciosa, essa meta parecia realizável. Fui indagado por que o objetivo principal não tinha sido conquistar o ouro em todas as competições. Expliquei então que estaria conduzindo a equipe a inevitáveis frustrações, pois enfrentaríamos adversárias extremamente competentes e vitoriosas, como Cuba, que dominava o cenário mundial na década de 1990. Lutávamos sempre pelo ouro, mas entendíamos que desempenhos excelentes muitas vezes nos conduziriam à prata ou ao bronze – e que isso também deveria ser encarado como sucesso.

- John Wooden, um dos maiores treinadores da história do basquetebol universitário americano, diversas vezes campeão com suas equipes da UCLA, nos apresenta a seguinte definição de sucesso: "É a paz de espírito proveniente da consciência de que você fez o maior esforço possível para se tornar o melhor dentro do seu potencial."

Ele reforça, assim, a importância da busca permanente pela excelência.

- Há pouco tempo, assisti a uma palestra do presidente da Vale, Roger Agnelli, sobre empreendedorismo. Ao ser questionado sobre o tipo de conselhos e orientações que dava a seus filhos, ele respondeu: "Sejam curiosos." Agnelli contou que os instigava constantemente a perguntar, ler e estudar, cultivando a humildade e tendo consciência de que a vida é um processo de aprendizado permanente.

MEDOS

O MEDO

É UMA

ILUSÃO.

Não fico pensando nas conseqüências de errar um arremesso decisivo. Por quê? Porque quando pensamos nas conseqüências, sempre imaginamos um resultado negativo.

Se vou me atirar num lago, ainda que não saiba nadar, penso que serei capaz de nadar, nem que seja apenas o suficiente para sobreviver. Não vou pular e ficar pensando comigo mesmo: "Acho que posso nadar, mas talvez eu me afogue." Se estou mergulhando em uma situação, mentalizo que vou ser bem-sucedido. Não fico imaginando o que vai acontecer se eu fracassar.

Posso entender como algumas pessoas se deixam paralisar pelo medo do fracasso. São influenciadas por companheiros e colegas ou pela idéia de um resultado negativo. Podem ter medo de fazer feio ou de ficar constrangidas. Mas isso, para mim, não basta.

Eu concluí que, para conseguir algo em minha vida, precisava ser agressivo. Tinha que ir à luta e brigar por aquilo. Não acredito que seja possível conseguir qualquer coisa com uma atitude passiva. Sei que para algumas pessoas o medo pode ser um obstáculo, mas para mim não passa de uma ilusão.

Uma vez que esteja envolvido, não penso em nada que não seja o que quero conquistar. Qualquer medo é uma ilusão. Você acha que há algo atrapalhando o seu caminho, mas na verdade não há nada ali. O que existe é uma **oportunidade** para você fazer o seu melhor e obter sucesso.

Se, no fim, o meu melhor não for suficiente, pelo menos poderei olhar para trás e dizer que não tive medo de tentar. Talvez eu não fosse bom o bastante. Mas não há nada de errado nisso nem nada a temer. O fracasso sempre me levou a tentar com mais entusiasmo na vez seguinte.

Por isso **meu conselho sempre é "pensar positivo" e buscar em cada fracasso o "combustível" para uma nova tentativa.** Às vezes o insucesso nos deixa mais perto de onde queremos chegar. Se estou tentando consertar um carro, toda vez que faço algo que não funciona, fico mais perto de encontrar uma solução. As grandes invenções do mundo foram precedidas de centenas de fracassos antes que as respostas certas fossem encontradas.

Às vezes acho que, no esporte, o medo vem da falta de foco ou de concentração. Se no momento de um arremesso livre, diante da cesta, eu imaginasse os milhões de pessoas que assistiam à minha jogada pela TV, jamais teria conseguido fazer alguma coisa.

Assim, mentalmente, procurava me colocar num ambiente familiar. Pensava nas infinitas cestas que já tinha feito com **os mesmos movimentos e usando a mesma técnica.**

Portanto, esqueça o resultado. Você sabe que está fazendo a coisa certa. **Relaxe e execute.** A partir daí você já não está mais no controle. Está fora das suas mãos, então não se preocupe mais.

Não é muito diferente de apresentar um projeto no mundo dos negócios ou um trabalho na escola. Se você fez tudo o que era necessário, não depende mais de você. Gostar ou não da apresentação depende apenas do cliente, do comprador ou do professor.

Posso aceitar a derrota. Todos nós falhamos em alguma coisa. O que não posso aceitar é não tentar. É por isso que não tive medo de me arriscar no beisebol.[1] Não posso dizer: "Bem, não vou fazer isso porque estou com medo de não conseguir entrar para o time." Isso, para mim, não basta. Não importa que você vença ou não, desde que dê tudo o que há em seu coração e se empenhe 110% naquilo que está fazendo.

O medo é uma ilusão.

---

[1] Após três títulos da NBA, Michael Jordan interrompeu sua carreira no basquete e fez uma breve incursão no beisebol (no Chicago White Socks), na tentativa de se tornar jogador profissional – sonho que acalentava desde menino, incentivado pelo pai, que havia falecido recentemente.

PONTO A PONTO

- É interessante ver como Michael Jordan aborda o tema do medo e a sensação de pânico que paralisa as pessoas diante da possibilidade de fracasso. Ao se depararem com grandes barreiras ou dificuldades, muitos desistem, pois as consideram intransponíveis. Já MJ as encara como oportunidades, desafios a serem enfrentados. Vou citar mais uma vez Coach K em seu livro *Beyond Basketball*. Ele diz que a coragem não é exatamente a ausência de medo, mas a capacidade de dominar essa emoção. Quem de nós não sente tensão ou mesmo temor num momento de decisão, seja um grande jogo, uma prova ou uma apresentação? O que nos dá segurança é a convicção de nossa preparação.

- Quando MJ fala do combustível para uma nova tentativa, está se referindo ao processo de automotivação, à necessidade de reverter um quadro negativo. Quando estamos mal em uma matéria na faculdade ou em uma área em nossa empresa, é essa necessidade que nos motiva à ação, nos faz dedicar mais tempo e energia àquela matéria ou área de pior desempenho.

- Jordan apresenta uma importante ferramenta para nos ajudar a controlar as emoções, entre elas o medo. Nos momentos de grande tensão, devemos nos concentrar na execução, na técnica utilizada, nos movimentos, evitando pensar sobre as conseqüências ou resultados.

COMPROMETIMENTO

NBA
23
YORK
32
NEW YORK
13

NÃO

EXISTEM

ATALHOS.

Se, ao terminar o colégio, eu tivesse mostrado menos empenho ou um desejo menor de alcançar meus objetivos, teria optado por um caminho mais fácil e procurado outra universidade. Mas fui para a Universidade da Carolina do Norte porque percebi que muitos jogadores treinados pelo técnico Dean Smith acabavam sendo recrutados por times da NBA, principal liga profissional de basquetebol dos Estados Unidos e objetivo de todo atleta de basquete.

As pessoas diziam que eu deveria me desviar desse caminho difícil, mas eu não tinha intenção de fazer isso. Havia tomado minha decisão, estava **comprometido com as minhas metas.** Queria descobrir o meu valor, ter idéia da minha capacidade.

Sempre acreditei que, se trabalhasse duro, os resultados viriam. Não costumo me empenhar em nada pela metade, pois sei que agindo assim só poderia esperar por meios resultados. É por isso que encarava os treinos com a mesma intensidade que os jogos. Não é algo que se possa abrir e fechar como uma torneira. Eu não podia fazer corpo mole no treino e, mais tarde, quando precisasse daquele esforço extra durante o jogo, achar que estaria ao meu alcance.

Mas é assim que muitas pessoas agem. E é por isso que fracassam. Elas passam a impressão de estar comprometidas em dar o melhor de si mesmas. Dizem as coisas certas e aparentam fazer as coisas certas. Mas, **quando é necessário agir, ficam procurando desculpas em vez de respostas.**

Vemos isso o tempo todo no esporte profissional. Acontece até mesmo com nossos amigos ou parceiros de negócios. Eles dão um milhão de desculpas para não "pagar o preço": "Se me dessem uma oportunidade" ou "Se ao menos o técnico, o professor ou o meu chefe gostasse mais de mim, eu poderia ter conseguido fazer isso ou aquilo"... Nada além de desculpas.

Parte desse comprometimento significa assumir responsabilidades. Isso não quer dizer que não existam obstáculos ou distrações. Se estamos tentando realizar algo, haverá sempre pedras no caminho. Eu tive as minhas; todo mundo tem. Mas os obstáculos não devem pará-lo. Se você se depara com uma muralha, nada de fazer meia-volta e desistir de tudo. Tente arrumar um jeito de escalar, atravessar ou então contornar essa muralha.

Tive uma ótima lição sobre distrações em meu terceiro ano na Universidade da Carolina do Norte. O meu segundo ano se revelou o meu melhor. Por isso, havia todo tipo de expectativas para o ano seguinte. O que tentei foi corresponder a todas essas expectativas, que na realidade eram expectativas dos outros.

Assim, me afastei do meu próprio caminho. E me vi aguardando os momentos das enterradas espetaculares, me dedicando pouco à defesa e simplesmente esperando a oportunidade de um contra-ataque para conseguir uma grande cesta.

O treinador Dean Smith me chamou um dia para assistir a dois vídeos, um da temporada anterior e outro da que estava em curso. As imagens mostravam duas atitudes opostas. No vídeo mais recente eu procurava atalhos, e não tinha sido dessa maneira que eu conseguira chegar lá. Eu ainda possuía o desejo, mas tinha perdido totalmente o foco.

Temos que ser fiéis aos nossos planos, pois muitos tentarão nos rebaixar ao seu nível por não conseguirem realizar certas coisas. Eles estão em busca de um atalho. Mas poucos conseguem chegar a algum lugar por atalhos. São pouquíssimas as pessoas que ficam ricas jogando na loteria. Isso até acontece, mas as probabilidades são extremamente pequenas. A maioria chega lá de maneira honesta, estabelecendo metas e se comprometendo a atingi-las.

De qualquer jeito, essa é a única maneira pela qual eu gostaria de chegar lá.

Não existem atalhos.

PONTO A PONTO

- Devemos ter sempre em mente que há um "preço a ser pago", um longo caminho a ser percorrido. O comprometimento com o processo, com nossas equipes e nossas metas nos faz seguir em frente, continuar lutando e nos dedicando, mesmo diante de grandes dificuldades, na busca permanente de nossos objetivos.

- O comprometimento é demonstrado por nossas ações. De nada adiantam palavras, desculpas e álibis se não estivermos dispostos a fazer aquilo que deve ser feito.

- O exemplo do jovem Michael caindo no que chamo de armadilha do sucesso é bastante instrutivo. Ele nos revela que, após um ano de grandes resultados e atuações espetaculares, se acomodou. Já não demonstrava a mesma determinação na temporada seguinte, quando passou a procurar atalhos.

Foi seu mentor e coach Dean Smith quem o fez ver a necessidade de voltar ao caminho original, retomando seu objetivo de se tornar um grande atleta. De certa forma, o treinador reconectou o fio terra de Michael Jordan, trazendo-o de volta à sua essência.

TRABALHO EM EQUIPE

O TALENTO

GANHA JOGOS,

MAS TRABALHO

EM EQUIPE E

INTELIGÊNCIA

VENCEM

CAMPEONATOS.

Parece que nossa sociedade tem uma tendência a glamorizar o aspecto individual do sucesso, sem levar em consideração o processo como um todo. O futebol americano é um perfeito exemplo disso.

Temos o *quarterback*, um armador, um cara muito inteligente e provavelmente capaz de carregar o time. Mas ele não pode fazer isso sem a participação dos jogadores que o protegem permanentemente (*guards* e *tackles*). E, apesar disso, esses caras ganham muito pouco em comparação aos milhões que o armador fatura. Isso não faz sentido. Se ele não tivesse esses jogadores na sua frente, seus milhões não valeriam nada.

O mesmo acontece nas grandes empresas. De que adianta um executivo ter grandes idéias se não tem as pessoas capazes de fazer acontecer? Se não possui todas as peças em seus lugares, especialmente na linha de frente, essas idéias não significam nada.

Podemos ter o melhor vendedor do mundo, mas, se o pessoal encarregado da produção não for bom, ninguém vai querer comprar.

No meu time, o Chicago Bulls, havia dois jogadores com habilidades distintas: Bill Cartwright (um grande pivô) e John Paxson (um grande arremessador). E encontramos um meio de usar esses talentos dentro da estrutura da equipe. O mesmo acontece com os trabalhadores que ocupam os degraus mais baixos na escada corporativa. Os gerentes, da mesma forma que os treinadores, têm que **descobrir como colocar os talentos individuais a serviço dos interesses da empresa.**

Quando começamos a ganhar campeonatos, havia um entendimento quanto ao papel que cada um dos 12 jogadores desempenhava. Conhecíamos as nossas responsabilidades e habilidades. Nós sabíamos, por exemplo, que era importante utilizar Bill de forma intensa no início da partida, para tentar colocá-lo em um bom ritmo de jogo. Sabíamos que se John acertasse seu primeiro arremesso, isso abriria caminho para os outros jogadores, como Scottie Pippen, B. J. Armstrong e eu. Era esse tipo de coisa que precisávamos compreender e aceitar se quiséssemos realmente ganhar aqueles campeonatos.

Levamos algum tempo para entender isso. É um processo altruísta e, em nossa sociedade, às vezes é difícil lidar com a necessidade de desempenhar uma função específica em vez de tentar ser um superastro. **Existe uma tendência a não considerar todas as partes que fazem com que o conjunto funcione.**

É claro que alguns altos e baixos são inevitáveis, principalmente quando temos pessoas tentando alcançar os objetivos mais elevados. Mas, quando pisávamos na quadra, sabíamos do que éramos capazes. Em situações de pressão, os jogadores pareciam se conectar uns aos outros, como um conjunto coeso. É por essa razão que conseguíamos vencer tantas disputas apertadas.

E foi por isso que conseguimos derrotar equipes mais talentosas. Existem muitos times que, apesar de contar com grandes jogadores, nunca chegam a conquistar títulos. Na maior parte do tempo, esses atletas não se mostram dispostos a se sacrificar pelo interesse geral do grupo. A ironia da situação está em que, no fim, a relutância desses jogadores em se sacrificar pelo bem coletivo só dificulta ainda mais a conquista de suas metas individuais.

Se há uma coisa que aprendi na Universidade da Carolina do Norte, e trata-se de algo em que acredito plenamente, é que se você projeta e alcança resultados em termos de equipe, as recompensas individuais acabarão acontecendo naturalmente.

O que eu acho disso? Prefiro contar com cinco jogadores menos talentosos porém mais dispostos a fazer as coisas juntos do que com cinco que se consideram astros e não se mostram dispostos a se sacrificar em prol do conjunto.

O talento ganha jogos, mas trabalho em equipe e inteligência vencem campeonatos.

PONTO A PONTO

- Durante os Jogos Pan-americanos de 2007, dediquei meu pouco tempo livre à leitura de *Moving the Chains*, de Tom Brady, tricampeão da liga profissional de futebol americano (NFL) com a equipe do New England Patriots. Jogador muito talentoso, reconhecido por suportar a pressão das defesas adversárias nos momentos de realizar o passe, ele valoriza permanentemente seus companheiros de ataque, que o protegem e criam condições para que se torne tão eficiente. Ao finalizar a leitura, fiquei com a impressão de que ele fazia questão de enaltecer aqueles que formavam seu muro de proteção, e creio que essa consciência foi decisiva para a conquista desses três campeonatos.

- Um verdadeiro time, para mim, são pessoas com objetivos comuns e, sobretudo, a consciência de que só atingirão esses objetivos com a participação de todos, mesmo daqueles que possam parecer menos importantes. Um time é formado por talentos complementares, portanto não há elementos de menor valor, mas sim com funções e atribuições diferentes.

- Ao longo desses oito anos em que estive à frente da seleção brasileira de voleibol masculino, formei a convicção de que os grandes resultados são conseqüência do que chamo de "consciência coletiva". Isso pode ser comprovado pela divisão dos prêmios individuais – o jogador eleito o melhor em um fundamento divide com seus companheiros o dinheiro recebido. Ele sabe que não teria sido premiado sem a colaboração de toda a equipe. E há uma frase de John Wooden que ilustra bem a importância de todas as peças para o bom funcionamento do conjunto: "São necessárias 10 mãos para se fazer uma cesta." No basquete como na vida.

- O maior obstáculo no processo de construção de um time surge quando egos e vaidades levam as pessoas a focar apenas conquistas individuais. Como conseqüência, as metas coletivas não são realizadas e, muito provavelmente, os prêmios individuais tampouco são conquistados.

FUNDAMENTOS

23
34

NO INSTANTE EM QUE

VOCÊ SE AFASTA DOS

FUNDAMENTOS,

TUDO PODE IR POR

ÁGUA ABAIXO.

Os fundamentos foram a parte mais crucial do meu desempenho na NBA. Tudo o que fiz e conquistei está relacionado ao modo como lidei com essas técnicas e como as apliquei de acordo com as minhas habilidades.

São os pilares que fazem com que tudo o mais funcione. Não importa o que você esteja fazendo ou tentando realizar – não deve ignorar os fundamentos se o seu objetivo é ser o melhor. Há muitas pessoas com grandes habilidades, mas, se não sabem aplicá-las em situações específicas, qual a sua utilidade? Não basta ter uma impulsão extraordinária. Será que você consegue arremessar bem o suficiente para pontuar se não estiver em posição para dar uma enterrada? E daí se você é capaz de decorar um livro inteiro para fazer uma prova? Você realmente aprendeu alguma coisa?

Mas alguns não encaram as coisas desse jeito. Estão atrás de gratificação instantânea, então, às vezes, tentam pular algumas etapas. Talvez não pratiquem o controle de bola porque têm pouca posse de bola durante as partidas. Talvez não desenvolvam técnicas apropriadas de arremesso porque apostam totalmente na sua estatura para marcar pontos. Pode ser que você consiga ir levando nas etapas iniciais, mas, cedo ou tarde, suas limitações aparecerão.

É como se alguém estivesse tão empenhado em compor uma obra-prima que não se desse ao trabalho de aprender a escala musical. E não dá para fazer uma coisa sem saber a outra. No instante em que você se afasta dos fundamentos – seja a técnica perfeita, a ética de trabalho ou a preparação mental – tudo pode ir por água abaixo no seu jogo, no seu trabalho de escola, no seu emprego ou no que quer que esteja fazendo.

Vejamos a NBA. Há atletas que, apesar de terem grandes habilidades, não conseguem superar suas dificuldades. Por quê? Porque não dominam os fundamentos, não possuem a base sobre a qual podem se desenvolver. Observem todos aqueles jogadores enormes que eram astros na universidade, mas que acabaram no banco de reservas na NBA. Alguns até conseguiram subir um nível após outro por causa de seu tamanho e força. Mas, quando tentaram chegar ao nível máximo, isso não foi suficiente – já era tarde demais.

Na Universidade da Carolina do Norte, todo mundo dizia que Dean Smith estava reprimindo meu potencial. Em tom de brincadeira, eles falavam que o treinador era o único sujeito no mundo capaz de fazer Michael Jordan ficar abaixo dos 20 pontos. Mas ele me ensinou o jogo, me fez compreender a importância dos fundamentos e como aplicá-los às minhas habilidades individuais. **Foi isso que me transformou num jogador completo.** Quando cheguei à NBA e tive que aperfeiçoar diferentes aspectos do meu jogo, arremessando ou defendendo, eu tinha a base – sabia como chegar lá.

A partir do momento em que entendemos a importância dos pilares da construção, começamos a compreender a operação como um todo. E isso nos permite atuar de modo mais inteligente, seja na faculdade, nos negócios ou até mesmo em família.

Foi isso que fez de Larry Bird[2] um jogador tão excepcional. Ele dominou a essência dos fundamen-

---

[2] Astro do Boston Celtics com vários títulos de campeão da NBA. Um jogador branco com pouca capacidade física, que, apesar disso, se transformou em uma lenda do basquete.

tos a tal ponto que conseguiu superar suas limitações físicas. Falando assim parece fácil, mas não é. É preciso monitorar constantemente a execução dos fundamentos porque **a única coisa que pode variar é a atenção que você dedica a eles. Os fundamentos nunca vão mudar.**

Tudo se resume a um lema muito simples: existe um jeito certo e um jeito errado de fazer as coisas. Você pode praticar arremessos durante oito horas por dia, mas, se a sua técnica estiver errada, tudo o que irá conseguir é se tornar muito bom em arremessar a bola do jeito errado.

Domine os fundamentos e o seu desempenho será sempre crescente. Mas, se você se afastar dos fundamentos, tudo pode ir por água abaixo.

PONTO A PONTO

- Em qualquer área de atuação é preciso identificar os fundamentos essenciais que constituirão os pilares da construção de uma carreira. Como o próprio Jordan diz, não devemos buscar atalhos nem pular etapas, e sim lançar mão de todas as ferramentas necessárias a um crescimento profissional permanente. Sem uma base sólida – ou seja, fundamentos bem trabalhados –, esse desenvolvimento será comprometido.

- Se analisarmos a carreira vitoriosa de Jordan e todos os momentos nos quais, sob enorme pressão, ele soube se superar, chegaremos à conclusão de que o perfeito domínio dos fundamentos foi a chave para seu sucesso.

- O comentário sobre Dean Smith ser o único treinador no mundo capaz de limitar Michael Jordan ao máximo de 20 pontos por partida merece uma reflexão. O treinador reconhecia o enorme talento de Jordan, mas tinha como missão transformá-lo num atleta completo, com domínio absoluto de todos os fundamentos, portanto com capacidade para ser bem-sucedido em qualquer nível de competição. Não queria um "solista", preocupado apenas em fazer cestas, mas um jogador que atuasse em todas as frentes e levasse sua equipe aos títulos.

LIDERANÇA

SEM O RESPALDO

DO DESEMPENHO

E DO TRABALHO

DURO, AS PALAVRAS

NÃO SIGNIFICAM

NADA.

Sempre tentei liderar pelo exemplo. Isso tem a ver com a minha personalidade. Nunca tentei motivar as pessoas falando, porque não acho que palavras signifiquem tanto quanto ações.

Costuma-se dizer que uma imagem vale mais do que mil palavras. Procurei, então, pintar um quadro que mostrasse trabalho duro e disciplina. E nunca parei. No instante em que eu diminuir o ritmo, especialmente se sou encarado como líder do meu time ou da minha empresa, estarei abrindo espaço para que os outros também diminuam o seu. Por que não? Se a pessoa que está acima tira um dia de folga ou não se esforça, por que os outros não deveriam fazer o mesmo?

Um líder tem que fazer por merecer o título. Ninguém se torna líder só por ser o melhor jogador do time, o mais inteligente da turma ou o mais popular. Você tem que conquistar o respeito de quem está ao seu redor por meio de suas ações. É preciso agir de maneira coerente, seja em um treino de basquete, um encontro de vendas ou na relação familiar.

Os que estão à sua volta precisam saber o que esperar de você. Têm que confiar que você estará lá, que seu desempenho será consistente, jogo após jogo, sobretudo quando as coisas ficarem difíceis.

Em última análise, técnicos ou jogadores podem dizer o que quiserem, mas, se suas palavras não forem respaldadas por desempenho e trabalho duro, o discurso não significará nada. Foi por isso que tentei jogar mesmo com pequenas contusões – para estabelecer um princípio e uma referência. Se eu era considerado o melhor jogador ou se estava ganhando mais dinheiro, queria que todos soubessem que merecia aquilo. Queria que compreendessem que meu sucesso não acontecia por acaso. E queria que todos à minha volta soubessem que eu também os estava observando.

Um líder não deve procurar desculpas. É necessário que haja qualidade em tudo o que faz. Na quadra, fora da quadra, na sala de aula, no playground, na sala de reuniões, fora do trabalho. Ele deve transferir essa energia para qualquer ambiente em que esteja.

E tem que estar disposto a sacrificar certas metas individuais, se necessário, pelo bem da equipe. Acho também que o líder é aquele que já foi bem-sucedido

em determinadas situações e não tem r
arriscar liderando os outros pelo mesmo
alguém com visão, quase uma habilidade para
gar o futuro, para antecipar o que está por vir.

Mas ao longo do caminho você deve sustentar aq
lo em que acredita e se agarrar às suas convicções. Todas as pessoas que admiro agem assim. Meus pais são assim. Eu sabia que podia contar com eles quando a pressão aumentasse. Confiava neles.

O treinador Smith é assim. Acho que as pessoas que admiro – Julius Erving (o famoso Dr. J, grande jogador de basquete do Philadelphia 76ers), Denzel Washington, Spike Lee e Martin Luther King – criaram suas próprias visões. E não deixaram que nada nem ninguém os desviassem de seus objetivos, muito menos os abatessem. Eles deram o exemplo e exerceram sua liderança.

Mas não é preciso aparecer na TV, ser treinador de um time da NBA ou atleta profissional para ser um líder efetivo. Todo lar, toda empresa, toda vizinhança e toda família precisam de alguém capaz de liderar. Já temos gente demais que só sabe falar sobre isso.

Sem o respaldo do desempenho e do trabalho duro, as palavras não significam nada.

PONTO A PONTO

- Os grandes líderes têm uma enorme capacidade de realização, mas o que realmente os diferencia são os princípios e valores inspiradores que trazem consigo. O empresário Marcel Telles usa a seguinte definição: "Líder é o guardião de princípios." Quais são os princípios que nortearam a história de nossa empresa ou equipe? Cabe ao verdadeiro líder preservá-los para que possam continuar orientando nossa trajetória futura.

- Nos momentos difíceis, cabe ao líder assumir a responsabilidade, evitando álibis e desculpas. Se ele atribuir o insucesso a terceiros, jamais conseguirá detectar as razões da derrota. E seu papel é entender os porquês a fim de construir novos caminhos e estratégias.

- Muitas vezes, temendo a impopularidade de uma decisão, o líder acaba sendo seduzido pela conveniência, afastando-se de suas verdadeiras convicções. Mas não cabe ao líder fazer aquilo que é conveniente nem tampouco agradar a todos o tempo todo, mas sim fazer o que é certo.

- O grande Vince Lombardi, freqüentemente questionado pela dureza de seus métodos, sempre foi respeitado por seus comandados. Eles confiavam plenamente no treinador e em seu senso de justiça. Embora em muitas ocasiões ele possa ter errado na forma, demonstrava claramente sua intenção: extrair 100% de seus atletas, sem fazer distinções. Volto a Roger Agnelli, que diz que, no seu dia-a-dia, pressionado a tomar inúmeras decisões, persegue um único objetivo: ser justo.

INFORMAÇÕES SOBRE OS PRÓXIMOS LANÇAMENTOS

Para receber informações sobre os lançamentos da EDITORA SEXTANTE, basta enviar um e-mail para
atendimento@esextante.com.br
ou cadastrar-se diretamente no site
www.sextante.com.br

Para saber mais sobre nossos títulos e autores, e enviar seus comentários sobre este livro, visite o nosso site:
www.sextante.com.br

EDITORA SEXTANTE
Rua Voluntários da Pátria, 45 / 1.404 – Botafogo
Rio de Janeiro – RJ – 22270-000 – Brasil
Telefone: (21) 2538-4100 – Fax: (21) 2286-9244
E-mail: atendimento@esextante.com.br